U0065171

這本可愛的小書是屬於

_____ 的！

國家圖書館出版品預行編目資料

鈴,鈴,鈴,請讓路!－第一次騎腳踏車 / 李寬宏著;馮
念康繪.－－初版一刷.－－臺北市：三民，2005
面； 公分.－－(兒童文學叢書.第一次系列)

ISBN 957–14–4212–7 （精裝）

850

網路書店位址 http://www.sanmin.com.tw

© 鈴，鈴，鈴，請讓路！
—— 第一次騎腳踏車

著作人 李寬宏
繪 者 馮念康
發行人 劉振強
著作財 三民書局股份有限公司
產權人 臺北市復興北路386號
發行所 三民書局股份有限公司
地址 / 臺北市復興北路386號
電話 / (02)25006600
郵撥 / 0009998–5
印刷所 三民書局股份有限公司
門市部 復北店 / 臺北市復興北路386號
重南店 / 臺北市重慶南路一段61號
初版一刷 2005年2月
編 號 S 856891
定 價 新臺幣貳佰元整
行政院新聞局登記證局版臺業字第○二○○號

有著作權・不准侵害

ISBN 957–14–4212–7 （精裝）

記得當時年紀小

我相信每一位父母親，都有同樣的心願，希望孩子能快樂的成長，在他們初解周遭人事、好奇而純淨的心中，周圍的一草一木，一花一樹，或是生活中的人情事物，都會點點滴滴的匯聚出生命河流，那些經驗將在他們的成長歲月中，形成珍貴的記憶。

而人生有多少的第一次？

當孩子開始把注意力從自己的身體與家人轉移到周圍的環境時，也正是多數的父母，努力在家庭和事業間奔走的時期，孩子的教養責任有時就旁落他人，不僅每晚睡前的床邊故事時間無暇顧及，就是孩子放學後，也只是任他回到一個空大的房子，與電視機為伴。為了不讓孩子的童年留下空白，也不願自己被忙碌的生活淹沒，做父母的不得不用心安排，這也是現代人必修的課程。

三民書局決定出版「第一次系列」這一套童書，正是配合了時代的步調，不僅讓孩子在跨出人生的第一步時，能夠留下美好的回憶，也讓孩子在面對起起伏伏的人生時，能夠步履堅定的往前走，更讓身為父母親的人，捉住了這一段生命中可貴的片段。

這一系列的作者，都是用心關注孩子生活，而且對兒童文學或教育心理學有專精的寫手。譬如第一次參與童書寫作的劉瑪玲，本身是畫家又有兩位可愛的孫兒女，由她來寫小朋友第一次自己住外婆家的經驗，讀之溫馨，更忍不住發出莞爾。年輕的媽媽宇文正，擅於散文書寫，她那細膩的思維和豐富的想像力，將母子之情躍然紙上。主修心理學的洪于倫，對兒童文學與舞蹈皆有所好，在書中，她描繪朋友間的相處，輕描淡寫卻扣人心弦，也反映出她喜愛動

1

物的悲憫之心。謝謝她們三位加入為小朋友寫書的行列。

　　當然也要感謝童書的老將們，她們一直是三民童書系列的主力。散文高手劉靜娟，她善於觀察那細微的稚子情懷，以熟練的文筆，娓娓道來便當中隱藏的親情，那只有媽媽和他知道的祕密。

　　哪一個孩子對第一次上學不是充滿又喜又怕的心情？方梓擅長書寫祖孫深情，讓阿公和小孫子之間的愛，克服了對新環境的懼怕和不安。

　　還記得寫《奇奇的磁鐵鞋》的林黛嫚嗎？這次她寫出快被人遺忘的回娘家的故事，親子之情真摯可愛，值得珍惜。

　　王明心和趙映雪都是主修幼兒教育與兒童文學的作家。王明心用她特有的書寫語言，讓第一次離家出走的兵兵，幽默而可愛的稚子之情，流露無遺。趙映雪所寫的雲霄飛車，驚險萬分，引起了多少人的回憶與共鳴？那經驗，那感覺，孩子一輩子都忘不了，且看趙映雪如何把那驚險轉化為難忘的回憶。

　　李寬宏是唯一的爸爸作者，他在「音樂家系列」中所寫的舒伯特，廣受歡迎；在「影響世界的人」系列中，把兩千五百歲的酷老師 —— 孔子描繪成一副顛覆傳統、令人印象深刻的形象，更加精彩。而在這次寫到第一次騎腳踏車的書中，他除了一向的幽默風趣外，更有為父的慈愛，千萬不能錯過。我自己忝陪末座，記錄了小兒子第一次陪媽媽上學的經驗，也希望提供給年輕的媽媽，現實與夢想可以兼顧的參考。

　　我們的童年已遠，但從孩子們的「第一次」經驗中，再次回到童稚的歲月，這真是生命中難忘而快樂的記憶。我希望每一位父母都能與孩子一起走回童年，一起讀書，共創回憶。這也是我多年來，主編三民兒童文學叢書，一直不變的理想。

作者的話

親愛的小朋友和大朋友：

請掀開袖子，看看你手上的疤！再掀開褲管，看看你腿上的疤！哈！這些，不就是當年你學腳踏車時得來的勳章嗎？

當初在練習時，每天摔得全身青一塊、紫一塊，痛死了，簡直恨透那輛笨腳踏車。可是，現在回想起來，卻變成一個很甜蜜的回憶。和朋友聊天，總要把學車所吃的苦頭誇大一番，還不忘捲起褲管和袖子，展示英勇的「戰果」哩。

經過千辛萬苦，終於，你學會了。還記得那時的情形嗎？你好緊張，手緊緊握著龍頭；同時，你又好興奮。你專心一意的踩著踏板，兩旁的景物「颯！颯！颯！」的後退，你幻想自己就是哪吒，騎著風火輪，在空中飛翔。那種感覺，實在有夠拉風！

等你長大以後，你會開汽車，也許會駕帆船，甚至會開飛機！但是，我相信你永遠不會忘記你的腳踏車。因為它不但讓你第一次嚐到速度的快感，更帶著你「趴趴走」，到許多新奇的地方，拓寬了你的視野和想像力。

這本書有點像時間機器，讓你重溫學車時的辛苦，和學會以後的狂喜。更重要的，我想藉著腳踏車，藉著這個故事，和你分享一些我的人生經驗。希望這些經驗，能對你有些幫助：

第一，世界上有很多事情都像學騎腳踏車，在做的時候會碰到好多困難，甚至會讓我們跌得鼻青臉腫。但是，只要我們堅持下去，一定會成功。

第二，有時候，表面上看起來好醜的東西，其實是最漂亮的，比如說，你手上和腿上的那些疤。

第三，我們如果真正愛一個人，就要放手讓他自由自在的成長，不要老是抓著他。如果你學車時爸爸永遠不放手，你永遠都學不會，是不是？

　　我希望能把這本書寫得不但有趣而且有用。讀完這本書以後，如果你是老師，你會給我多少分呢？

　　謝謝簡宛女士和三民書局的編輯們，這是第三次和她們合作，每次合作都是很愉快的經驗。多年來，她們給了我許多鼓勵和教導，她們是我在寫作道路上的好朋友和好老師。

　　謝謝蔣淑茹老師自願當我的白老鼠，很仔細的讀了這個故事的一稿、二稿、三稿、四稿、五稿……而且提出許多很重要的意見。你如果覺得這個故事有趣，那都是她的功勞。

　　謝謝我的小女兒宜宜，我會寫這個學騎腳踏車的故事，完全是因為她的建議。雖然已經長成亭亭玉立的少女，但是她還清楚的記得小時候學車時，我偷偷放手的那一幕。我把這本書獻給她，謝謝她給我的靈感，也懷念我們一起學車的日子。

李寬宏

鈴、鈴、鈴，請讓路！

👆 第一次騎腳踏車

李寬宏／著

馮念康／繪

每個星期天早上，小紅的爸爸都帶她到學校操場教她騎腳踏車。爸爸在後面扶著車子，小紅很專心的騎。

6

7

可(ㄎㄜˇ)是(ㄕˋ)，爸(ㄅㄚˋ)爸(ㄅㄚ)
一(ㄧˋ)偷(ㄊㄡ)放(ㄈㄤˋ)手(ㄕㄡˇ)，
她(ㄊㄚ)就(ㄐㄧㄡˋ)跌(ㄉㄧㄝˊ)下(ㄒㄧㄚˋ)來(ㄌㄞˊ)。

8

她好氣那輛
笨腳踏車，
它如果乖乖聽話，
不要走路扭來扭去，
她就不會跌得
滿腿都是疤，
也就不會變得
這麼醜了。

9

14

她越騎越快，越騎越快，
兩隻腳轉個不停，
像電風扇的葉子。
風從她耳朵旁邊
咻！咻！咻！吹過去，
她覺得腳踏車變成一架
噴射機，快要飛起來了！

15

忽然，小紅覺得
有點奇怪：「怎麼沒聽到
爸爸跑步的聲音？」
回頭一看：「咦？爸爸
怎麼不在我後面？」
爸爸居然站在遠遠的地方，
對她揮手。他什麼時候
放手的，小紅都不知道。
「嘿！這是怎麼回事？」

16

「難道說……
剛剛那一段路，
都是我自己騎的？
也就是說……
我會騎腳踏車了？！」

17

「我終於會騎
腳踏車了！耶！
我要告訴媽媽、
哥哥和全世界的人，
我會騎腳踏車了！！！」

就在這個時候，
好像有個巨人
用力推小紅，
她和腳踏車
從地上彈起來，
飛得好高，然後
「噗！」的一聲，
重重的跌在
旁邊的草地上。
原來，腳踏車撞到
一個石頭了。

21

小ㄒㄧㄠˇ紅ㄏㄨㄥˊ的ㄉㄜ˙手ㄕㄡˇ、腿ㄊㄨㄟˇ和ㄏㄜˊ屁ㄆㄧˋ股ㄍㄨˇ
都ㄉㄡ跌ㄉㄧㄝˊ得ㄉㄜ˙痛ㄊㄨㄥˋ死ㄙˇ了ㄌㄜ˙，
像ㄒㄧㄤˋ一ㄧ萬ㄨㄢˋ根ㄍㄣ針ㄓㄣ在ㄗㄞˋ戳ㄔㄨㄛ她ㄊㄚ。

「哇！」她趴在
草地上開始
嚎啕大哭。

王子說：「那些疤是妳學騎腳踏車跌傷的，表示妳很勇敢。我覺得它們很漂亮，很可愛。」

就這樣，小紅和王子結婚了，從此過著幸福快樂的日子。

32

34　　誰ㄕㄟˊ說ㄕㄨㄛ男ㄋㄢˊ生ㄕㄥ看ㄎㄢˋ到ㄉㄠˋ她ㄊㄚ的ㄉㄜ˙腿ㄊㄨㄟˇ會ㄏㄨㄟˋ嚇ㄒㄧㄚˋ死ㄙˇ？

寫書的人
李寬宏

臺灣屏東人。別的本領沒有，騎腳踏車的技術還不賴。他能一面吹口哨，一面放雙手，繞四百公尺的學校操場一圈；還能在騎車時用一隻手扶把手，用另外一隻手牽另外一輛腳踏車。

臺灣清華大學核子工程學士，美國普度大學機械工程碩士、博士。在美國大公司工作二十年後，創業作工業產品的進出口。

學的是科學和工程，真正的最愛卻是文學、音樂和舞蹈。曾經獲得《中外文學》第一屆短篇小說獎。替三民書局的「兒童文學叢書」寫過兩本書：《愛唱歌的小蘑菇 —— 歌曲大王舒伯特》（音樂家系列）和《兩千五百歲的酷老師 —— 至聖先師孔子》（影響世界的人）。

畫畫的人
馮念康

男，浙江海寧人，1950年代初生於上海。現為上海教育出版社副編審，中國美術家協會會員，中國藝術攝影協會會員。「崇拜」小孩之天真、直率，故畫畫以兒童題材為主，樂此不疲。

35

GOGO遊樂場

小紅的青蛙變成了好帥、好帥的王子了。想不想也擁有一隻可以隨時陪你玩耍的青蛙？現在，請準備以下的材料，跟著動手折折看，保證你有一隻超炫、超勹一尢ˋ的青蛙。

 準備材料

長方形色紙（長寬的比例是2：1）。
● 小撇步：將一張正方形的色紙，對半裁成兩張，所得到的就是我們要的大小囉！

 進行步驟

(1)先將色紙對折後攤開。是不是形成了兩個正方形呢？再將這兩個正方形，折出兩個「米」字形紋路後攤開。

(2)沿著兩條交叉紋路將色紙往內折，中間折起成立體狀。

36

(3)將中間凸起部分沿斜線往下折好壓平。上下兩邊都依照這樣的程序折好。

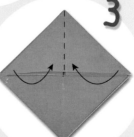

(4)選定一邊朝上，將三角形下方兩個角，對準中心線往上折。青蛙的頭就出現了。

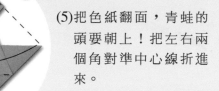

(5)把色紙翻面，青蛙的頭要朝上！把左右兩個角對準中心線折進來。

(6)看看色紙的下方是不是有一塊凸出來的三角形？將三角形往上折。

(7)下面三角形的兩邊都各有一個口袋。將上面兩個角，塞進下面三角形的口袋裡，然後小心壓平。

(8)將色紙翻面，把下面梯形的兩個角往下折。不用對準中心，隨意一個角度折下來就可以囉！像不像青蛙的腳呢？

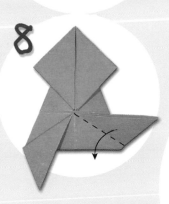

(9)將色紙翻面，下方是不是有一個三角形呢？對準三角形中間的位置往下折，再對折。青蛙腳也要折上去喔！

完成了

37

 用手指輕輕壓青蛙的尾部，再放開。你就會發現牠是跳高高手呢！

 比比看，誰的青蛙跳得最遠跳得最高。

兒童文學叢書
・第一次系列・

童年無法NG，生命不能重來

三民書局最新出版

兒童文學叢書・**第一次系列**・

提供孩子生活所需的智慧維他命，與孩子共享生命中的成長初體驗！